Ping-Pong contre Tête-de-Navet

Ping-Pong contre Tête-de-Navet

ANDRÉE POULIN

QUÉBEC AMÉRIQUE Jeunesse

Données de catalogage avant publication (Canada)

Poulin, Andrée

Ping-Pong contre Tête-de-Navet
(Bilbo jeunesse ; 125)
Pour les jeunes.

ISBN 2-7644-0278-3

I. Titre. II. Collection.

PS8581.O837P56 2003 jC843'.54 C2003-940740-3
PS9581.O837P56 2003
PZ23.P68Pi 2003

Nous reconnaissons l'aide financière du gouvernement du Canada par l'entremise du Programme d'aide au développement de l'industrie de l'édition (PADIÉ) pour nos activités d'édition.

Gouvernement du Québec – Programme de crédit d'impôt pour l'édition de livres – Gestion SODEC.

Les Éditions Québec Amérique bénéficient du programme de subvention globale du Conseil des Arts du Canada. Elles tiennent également à remercier la SODEC pour son appui financier.

Québec Amérique
329, rue de la Commune Ouest, 3e étage
Montréal (Québec) H2Y 2E1
Téléphone : (514) 499-3000, télécopieur : (514) 499-3010

Dépôt légal : 3e trimestre 2003
Bibliothèque nationale du Québec
Bibliothèque nationale du Canada

Révision linguistique : Diane Martin
Mise en pages : Andréa Joseph [PageXpress]

À mes filles, Charlotte et Emily,
pour qu'elles soient fières
de leurs yeux en amande.

Remerciements

Merci à tous les élèves qui ont joyeusement commenté mon manuscrit et m'ont même suggéré d'autres péripéties pour Ping :

- Classe d'Annie Turcotte à l'école Lac-des-Fées de Hull.
- Classe de Janick Paquin à l'école Mont-Bleu de Hull.
- Classe de Marie-France Bruneau à l'école Carrefour Jeunesse de Rockland (Ontario).
- Classes de Nancy Geoffroy et d'Isabelle Lucier à l'Académie Saint-Clément de Mont-Royal.

– Classe de Julie Cyr à l'école Louis-Lafortune de Delson.

Merci aussi à Ronald Lemon, cerf-voliste, pour ses précieux conseils. Aux Canadiens d'origine chinoise qui ont répondu à mes nombreuses questions sur la Chine. À mes lectrices dévouées : Martine, Louise, Marie, Pauline et Dominique. À Neale qui, dans cette grande aventure de l'écriture, m'endure et me rassure.

«Un ami c'est une route,
un ennemi c'est un mur.»
Proverbe chinois.

-1-

Je ne suis pas sortie du ventre de ma mère

Je ne suis pas sortie du ventre de ma mère. Je le sais. Je ne ressemble pas une miette à mon père. Ni à mes frères. Je le sais. Pas besoin de me le faire rappeler cinq mille fois par jour.

Maman et Frédéric ont les cheveux brun cassonade. Papa et Francis ont les cheveux brun cannelle. Toute la famille a la tête bouclée, du vrai poil de caniche. Sauf moi. J'ai les cheveux aussi noirs et raides que du poil d'écureuil.

Ensuite, il y a mon teint. Je n'ai ni les joues de pêche de

ma mère ni les taches de rousseur de mon père. Pour tout avouer, ma peau a la couleur de la margarine.

Et je n'ai pas encore parlé de mes yeux. Étirés plutôt que ronds. Avec des yeux comme les miens, pas moyen de cacher d'où l'on vient.

Quant à mon nom, là non plus, il n'y a pas de quoi se réjouir. Je ne l'ai pas choisi, ce nom. Évidemment. Jamais je n'aurais choisi de m'appeler Ping. Jamais.

Je suis née en Chine. Je le sais. Pas besoin de me le faire rappeler cinq mille fois par jour. Surtout par une Tête-de-Navet comme Ève Nantais.

«Je suis toujours la meilleure, la gagnante partout», nous a annoncé Ève Nantais le jour de son arrivée à notre école.

Une nouvelle élève au milieu de l'année scolaire, c'est rare. Dès l'instant où elle a mis le pied dans notre classe, la Nantais a su se faire remarquer. Nous étonner. Avec sa mini minijupe en jeans. Son ombre à paupières vert olive. Sa façon de se vanter.

«Je viens de Chapais, dans le Nord du Québec», a-t-elle déclaré, comme si elle sortait du paradis terrestre. À Chapais, on a une piscine semi-olympique et le Festival du doré Baie-James. À Chapais, ma mère était directrice d'école.»

À la récréation, toutes les filles de cinquième année se

sont regroupées autour d'elle. Ève Nantais a pris une pose de vedette, menton en l'air, tournicotant sa mèche de cheveux.

— Je m'appelle Ève, comme la première femme que Dieu a créée. Normal que je sois première en tout. Je suis née championne. Ce n'est pas de ma faute, c'est comme ça.

— Dans notre classe, Ping est presque toujours la première en tout, a dit Fanny Falardeau, qui a toujours le nez fourré partout.

Ève Nantais s'est approchée, m'a examinée en silence.

— Tes yeux sont bridés, a-t-elle lâché d'un ton dédaigneux.

Je me suis tournée vers Mathilde et Maude.

— C'est mieux que des paupières vertes de vampire.

Mes copines ont éclaté de rire. La championne n'a pas aimé.

— À Chapais, il n'y a pas de Chinoise.

Elle a prononcé le mot en appuyant sur le «chi», la lèvre retroussée, l'air de quelqu'un qui vient de marcher sur une crotte de chien.

— On n'est pas à Chapais, on est à Montréal. Et puis je ne suis pas Chinoise. Je suis Québécoise. T'as quel âge?

Ma question l'a étonnée. Après une courte hésitation, elle a foncé droit dans le piège.

— Dix ans.

— Moi, j'ai onze ans. Donc je suis plus vieille que toi. Donc je suis encore plus Québécoise que toi.

Voilà comment j'ai rabattu le caquet de Miss Première-en-tout.

▲ ▲ ▲

Au début, on aurait bien dit qu'Ève Nantais s'alignait pour être la première en tout. Elle a eu la meilleure note pour sa présentation orale sur Chapais. Le prof d'art a accroché son dessin (un paysage de Chapais) au mur. En éducation physique, elle a battu tout le monde au cent mètres.

Occupée à réaliser ses exploits, à répondre aux questions de ses admiratrices, la championne de Chapais faisait comme si je n'existais pas. Ça me convenait très bien. J'ai Mathilde et Maude. Deux meilleures amies, ça me suffit. Qui voudrait comme copine une fille qui se peinture les paupières vert olive, qui se pense aussi brillante qu'Einstein et aussi *sexy* qu'un mannequin de magazine?

Donc, la nouvelle et moi, on s'ignorait. Tout allait pour le mieux dans le meilleur des mondes. Jusqu'à ce matin. Jusqu'au concours de tables de multiplication. Au retour du cours de musique, madame Chantal nous a demandé de nous mettre en place pour la compétition. Fanny Falardeau, qui doit toujours mettre son grain de sel, a déclaré :

— On sait bien, Ping va encore gagner.

Ève Nantais a répondu d'un air convaincu :

— Pas aujourd'hui!

Pour les tables, je suis imbattable. Je peux les réciter en chantant, en sautant, par en avant ou à reculons. Trente minutes après le début du concours, il ne restait que deux concurrentes : la Nantais et moi. Elle répondait vite et bien, mais elle s'énervait. Elle a fini par trébucher sur un truc facile. Neuf fois zéro. Neuf! Éliminée! Rouge jusqu'à la racine de ses frisettes brunes, elle a donné un coup de pied dans le mur. Miss Première-en-tout déboulonnée de la première place. Ha ha!

Madame Chantal m'a remis mon prix : un crayon à mine qui sent la fraise. Tout le monde a applaudi. Sauf Tête-de-Navet, bien sûr.

J'avais gagné le concours. J'avais aussi gagné une ennemie.

À la récréation, elle a commencé à m'embêter.

— Hé! La Chinoise! Ching-ching!

— ...

— Hé Ping-Pong! Tu te penses bonne? Ping-Pong! Ping-Pong!

Depuis que je suis tout petite, mes frères m'appellent Ping-Pong. Dans la bouche de Francis, ce surnom sonne comme un câlin. Dans la bouche de Frédéric, comme une taquinerie tendre. Quand Ève Nantais criait Ping-Pong, la bouche tordue, le ton méprisant, ça ressemblait à un coup de poing.

-2-

Du velcro pour les Fouineuses

Mon père parle trop. Partout. Toujours. À la maison, entre nous, je tolère. À l'extérieur, en public, j'ai moins de patience, surtout quand les Fouineuses s'amènent dans le portrait…

Papa est fier de mes yeux bridés, de mon teint margarine. Ridiculement fier. Quand les Fouineuses nous attaquent, il sourit au lieu de les repousser.

Les Fouineuses, je les retrouve partout sur mon chemin : à l'épicerie, à la bibliothèque, au musée. Je ne les connais pas, ces étrangères trop curieuses. Mais je les reconnais tout de suite à leurs sourires mielleux. À leur façon de me dévisager comme si j'avais deux nez et trois bouches. À leur manière de parler comme si je n'étais pas là. À leurs questions débiles.

— Ça coûte combien adopter un bébé en Chine?

— Pourquoi est-ce que ses vrais parents ne voulaient pas la garder?

— L'avez-vous choisie vous-même à l'orphelinat?

— Est-ce qu'elle parle avec un accent chinois?

Et blablabla. Que des stupidités. Vite. Donnez-moi du velcro que je leur soude les babines!

Et mon père, lui? Pas plus discret que ces indiscrètes. Il pose sa main sur son cœur, prend son air exalté, comme chaque fois qu'il parle de la Chine. Qu'on soit dans la file d'attente au cinéma, à la piscine ou au restaurant, il se lance chaque fois dans la même vieille histoire sentimentale.

— Ping avait six mois quand nous sommes allés la chercher en Chine. Elle était minuscule, sous-alimentée, elle avait les fesses irritées au sang... En plus, elle ne sentait pas la rose! (Ici, mon père éclate toujours de rire, comme si c'était la blague du siècle...) Mais ses yeux! Si vous aviez vu ses yeux! Pétillants d'intelligence, d'ardeur de vivre! Pour ma femme et moi, ça a été un formidable coup de foudre!

Papa gonfle le torse. Il pose sa main sur ma tête, comme un champion qui caresse son trophée. Il faut que je me retienne pour ne pas lui mordre les doigts.

Je lui ai pourtant demandé cinq mille fois de ne pas raconter ma vie à ces Fouineuses. Chaque fois, il promet de ne plus recommencer. Chaque fois, il oublie.

Qu'est-ce que j'ai fait pour hériter d'un père plus papoteux qu'une pie en délire?

▲ ▲ ▲

Ce matin, la chipie de Chapais se promenait dans la cour de récré en s'étirant les yeux et gémissant :

— Je suis une pauvre ching-ching.

Je lui ai crié :

— Neuf fois zéro?

Mauvaise tactique. Au lieu de la faire taire, ça l'a fouettée. Elle m'a suivie partout en chantant :

— Hé ! L'importée ! Ching-ching ! Ping-Pong !

J'ai décidé de l'ignorer. J'ai serré les dents si fort que j'en avais mal à la mâchoire.

— Bouche tes oreilles, a conseillé Maude.

— Des insultes, ça ne fait pas saigner, a rajouté Mathilde.

Facile à dire pour elles avec leurs yeux ronds et leurs cheveux blonds.

▲ ▲ ▲

Sur la porte rouge pompier, quelqu'un a dessiné à la main un demi-cercle d'étoiles dorées. Sous les étoiles, une plaque porte l'inscription « Acupuncture». Déjà trois semaines que cette boutique a ouvert ses portes à deux rues de chez moi. Je ne sais toujours pas ce qu'on y vend. Matin et soir, je passe devant ce magasin pour me rendre à l'école. Je n'ai encore vu personne y entrer et les stores de la vitrine restent obstinément fermés. Ce matin, pour la première fois, j'ai remarqué que les stores étaient entrouverts. J'étais déjà en retard à l'école, mais je voulais vraiment voir. Savoir. Je me suis approchée discrètement. J'ai collé mon nez contre la vitrine de la façade.

Il n'y avait aucune marchandise dans la pièce. Ce que je croyais être une boutique était en fait une sorte de clinique de médecin, avec quelques chaises, un bureau, un ordinateur. Une Chinoise, assise devant le bureau, lisait un gros bouquin. Elle semblait si concentrée qu'un tremblement de terre ne l'aurait pas dérangée. Tout à coup, la fille a éclaté de rire. Le visage plissé de joie, elle a serré le livre contre son ventre, avec gourmandise. Je l'ai enviée. J'aurais donné beaucoup pour prendre sa place. À l'abri derrière cette porte rouge. À lire tranquillement une histoire comique. Loin de l'école. Loin de la chipie de Chapais.

J'ai eu envie d'entrer pour poser à cette fille toutes les questions qui bourdonnaient dans ma tête. Qu'est-ce qu'elle lisait de si drôle? Qu'est-ce que l'acupuncture chinoise? Est-ce qu'on l'avait déjà traitée de ching-ching? d'importée?

-3-

Ne m'appelez plus Ping

Tous les dimanches matin, papa nous prépare des crêpes. Épaisses, moelleuses, baignant dans le sirop d'érable. Comme chaque fois, mes frères s'empiffrent. Mais aujourd'hui ils se surpassent. Frédéric entame sa sixième crêpe tandis que Francis achève sa septième. On dirait qu'ils ont une caverne à la place de l'estomac.

Il ne reste qu'une seule crêpe au fond du plat. Papa a couché ses ustensiles sur son assiette. Maman a presque terminé son café. Vite! Leur parler avant qu'ils se dispersent dans leurs activités du dimanche matin : mes frères au soccer, mon père dans son atelier, ma mère dans ses plates-bandes. Allez, je plonge.

— J'ai quelque chose à vous annoncer.

Je pointe mon index vers Francis, puis vers Frédéric.

— S'il y en a un de vous deux qui rit, je le... je le... pulvérise !

Mes frères me regardent, intrigués.

— À partir de maintenant, je veux que vous m'appeliez Alice.

— Mais... mais... pourquoi? demande papa, l'air aussi abattu que si je venais d'annoncer ma mort pour ce soir.

— J'ai envie d'un autre nom, c'est tout.

— Tu commences par changer de nom, après tu voudras changer de frère, gémit Francis d'un air faussement inquiet.

— Ping-Pong, c'est bien plus original qu'Alice, rajoute Frédéric.

Je pose brusquement mon verre sur la table. Le jus d'orange éclabousse la nappe.

— Vous n'êtes pas drôles! Je suis sérieuse!

Qui croirait que Francis a seize ans et Frédéric quatorze? Ils agissent comme des marmots de maternelle.

— Les garçons, ça suffit. Allez sortir votre équipement de soccer, ordonne maman.

Papa reprend ses lamentations.

— Mais ton nom, c'est ton héritage de Chine. Tu devrais en être fière.

— Justement, je crois que Ping voudrait un nom qui sonne moins chinois, dit maman.

Elle a des antennes, cette femme. Vraiment. Elle comprend tout sans qu'on lui explique. Papa ouvre la bouche pour protester. Maman lui fait signe de se taire. Elle pique sa fourchette dans la dernière crêpe. Comme si de rien n'était, elle me dit :

— Passe-moi le sirop d'érable, Alice.

▲ ▲ ▲

Quand je sors avec ma mère, je ne redoute jamais les Fouineuses. Au contraire, si elles viennent vers nous, ça m'excite. Je sais qu'on va s'amuser.

Maman ne sourit pas quand les Fouineuses se pâment.

— Oh! comme c'est mignon ses yeux en amande!

— Oh! comme elle est chanceuse de pouvoir grandir au Canada plutôt qu'en Chine!

— Oh! comme vous êtes généreuse d'élever une étrangère!

Maman pose sa main sur mon épaule, comme pour me dire : «Ne t'en fais pas, c'est juste une Fouineuse.» Il faut que je me retienne pour ne pas lui embrasser les doigts.

Ma mère écoute toujours poliment les questions niaiseuses des Fouineuses.

— Est-elle adoptée ou est-ce que votre mari est Chinois?

— Connaissez-vous sa vraie mère?

Maman se tourne ensuite vers moi et demande :

— Ping, la dame pose une question. As-tu envie d'y répondre?

C'est mon signal. Je me lance dans un long discours... en chinois. Je jacasse à cent kilomètres à l'heure dans du chinois-pour-faire-semblant. Mais ça, la Fouineuse ne le sait pas. Maman se mord la lèvre pour ne pas rire. Quand j'ai fini mon baratin, elle se tourne vers la femme et lui annonce, toujours d'un ton hyper-poli :

— Désolée madame, ma fille dit qu'elle est allergique aux questions indiscrètes.

Sur cette réplique cinglante, maman tourne le dos à la Fouineuse maintenant furieuse. Qu'est-ce que j'ai fait pour hériter d'une mère aussi géniale?

-4-

Des aiguilles dans le corps

— Papa, c'est quoi l'acupuncture?

Mon père se redresse dans son fauteuil, pose sa main sur son cœur et prend son air exalté.

— Ah! L'acupuncture! Une autre merveilleuse invention des Chinois. Incroyable tout ce qu'ils ont inventé! La soie, le papier, la boussole, la poudre à canon, le cerf-volant. En plus...

— Papa, papa, les freins! STOP! Je n'ai pas demandé un cours sur les inventions chinoises. Je veux simplement que tu m'expliques, en trois mots, l'acupuncture. Trois mots. Pas plus.

— C'est une sorte de médecine douce. L'acupuncteur plante des aiguilles dans certaines parties du corps, pour guérir, pour soulager, pour…

— Des aiguilles? Dans le corps?

— Incroyable, non? Tu vois, il y a des courants d'énergie et…

— Merci, papa. Trois mots. Terminé. Merci.

— Eh Ping! Pourquoi tu me poses cette question? Tu t'intéresses à la Chine maintenant?

— Non. Je cherche une façon de te guérir.

— De quoi?

— De la maladie du père-qui-parle-trop.

▲ ▲ ▲

J'ai mal choisi mon nouveau nom. Alice, c'est si facile à ridiculiser. J'aurais dû y penser. Dès qu'elle l'a su, Ève Nantais a inventé un autre refrain débile.

Plus de ping-pong
Pour la ching-ching
Alice jaunisse
Joue au tennis

Pendant la récré, je suis restée en classe pour arroser les plantes. J'en ai profité pour laisser une dédicace à la chipie de Chapais. Avec mon stylo-feutre à encre indélébile, j'ai griffonné en grosses lettres sur son cartable : «Nantais Tête-de-Navet!»

Ça ne m'a pas vraiment soulagée. J'ai encore le goût de griffer.

▲ ▲ ▲

Je voulais revoir la Chinoise rieuse. Comme les stores de la clinique étaient toujours fermés, je n'ai pas eu le choix. J'ai rassemblé mon courage et j'ai poussé la porte rouge aux étoiles dorées. Lorsque je suis entrée, une immense affiche m'a sauté aux yeux : un corps nu avec des veines rouges ou bleues, parsemé de points noirs. Épeurant. La Chinoise travaillait à l'ordinateur. Dans la pièce toute blanche, on n'entendait que le clic-clic de son clavier. Quand elle s'est tournée vers moi, j'ai dit très vite :

— Je ne suis pas malade.

Elle a souri.

— As-tu peur des aiguilles?

— Ça fait mal?

— Pas plus qu'une piqûre de moustique.

J'ai entendu des voix derrière une porte close.

— On pique les gens là-dedans?

— Oui. C'est là que mon père – l'acupuncteur – torture ses victimes.

Devant mon air incertain, elle a pouffé.

— Je blaguais.

Avec son sourire coquin, elle avait l'air à peine plus vieille que mon frère Francis. Elle avait un accent québécois pareil au mien. Ça m'a rassurée.

— Est-ce que tu parles chinois?

— Je parle le mandarin, un dialecte chinois.

J'avais peur qu'elle rie de ma question. Je l'ai posée quand même.

— Pourrais-tu m'apprendre une insulte en chinois?

Elle a froncé les sourcils.

— On se moque de toi?

— Comment tu le savais?

— Je suis passée par là.

Elle a écrit quelques mots sur un bout de papier et me l'a tendu.

— Ça se prononce *Fang Pi Chong*.

J'ai répété. *Fang Pi Chong*. J'aimais le son de ces mots dans ma bouche.

— Ça veut dire quoi?

La Chinoise a griffonné deux mots sur un deuxième bout de papier, qu'elle a plié en quatre avant de me le donner.

— Tu le liras ce soir avant de t'endormir. Comme ça, tu riras dans tes rêves.

Elle m'a tendu une soucoupe remplie de bonbons emballés dans du papier luisant.

— Tu veux un bonbon? Comment tu t'appelles?

— Alic... Euh... je veux dire... Je m'appelle Ping.

— Ping. Tu sais ce que ça signifie en chinois?

— Non.

— Ping, ça veut dire paix.

Le bonbon chinois goûtait la betterave bouillie. J'avais envie de le cracher.

— Dans ma classe, il y a une fille qui me traite de ching-ching.

Elle a poussé un soupir. J'ai compris qu'elle comprenait.

— Moi, je m'appelle Chang. Quand j'étais petite, les

garçons me surnommaient Bang Bang Chang, parce que je leur cognais dessus quand ils me traitaient de «bridée».

— Bang Bang Chang?

— Si tu ris, je te cogne dessus.

J'ai ri.

— Ton bonbon ne goûte pas bon.

Elle a ri à son tour, ses yeux plissés en deux fentes minuscules, comme les miens. On aurait dit ma grande sœur.

-5-

Foufounes à l'air

Depuis une semaine, les élèves apportent leur photo de bébé à l'école. Ils la remettent en grand secret à madame Chantal. La prof épingle les photos sur notre tableau d'affichage. Celui ou celle qui réussira à identifier sans se tromper tous les bébés gagnera le concours **Devinez qui c'est**. J'ai déjà reconnu Mathilde (grâce à ses boucles rousses) et Fanny Falardeau (grâce à sa tache de naissance sur la joue droite).

Après le dîner aujourd'hui, un groupe d'élèves ricanaient

devant le tableau d'affichage. Quelqu'un y avait épinglé une nouvelle photo, celle d'un bébé chinois vêtu d'un pantalon fendu qui laissait voir ses fesses dodues.

— Eh Ping! Il n'y a pas de couches en Chine? a demandé un des gars.

— Ce n'est pas une photo de Ping, ça, a protesté Maude.

— Pourtant, ça lui ressemble comme deux gouttes d'eau, a rétorqué Fanny Falardeau, incapable de se mêler de ses oignons.

Debout à l'arrière de la classe, Ève Nantais tripotait ses cheveux, un sourire malicieux étalé sur sa face de chipie. Quand madame Chantal est entrée, tout le monde s'est précipité à son pupitre.

— Qui a épinglé cette photo au tableau d'affichage? a demandé la prof.

Grand silence dans la classe.

— Qui a épinglé cette photo au tableau? a redemandé madame Chantal.

Tête-de-Navet a fini par lever la main.

— Mon oncle revient d'un voyage en Chine. Il m'a expliqué que là-bas beaucoup de bébés portent des culottes fendues au lieu de couches. Je pensais que ce serait une bonne idée de montrer la culture d'un autre pays, a-t-elle dit, l'air innocent.

La prof a obligé la Nantais à m'écrire une lettre d'excuses. Juste avant la récré, Tête-de-Navet m'a remis une lettre avec deux «je m'excuse» et trois «désolée». Pendant la récré, l'hypocrite a sorti une autre chanson imbécile.

Quand Ping-Pong se balade
Elle oublie la politesse
La ching-ching en promenade.
Ne peut pas cacher ses fesses.
Elle est toujours populaire.
Avec ses foufounes à l'air.

Quelques filles riaient. Mathilde et Maude n'ont rien dit, mais je voyais bien qu'elles écoutaient. J'ai transformé la lettre d'excuses en confettis. Je n'ai pas dit mon dernier mot. Tête-de-Navet ne perd rien pour attendre.

▲ ▲ ▲

Elle m'énervait depuis longtemps, cette photo de famille.

Celle qui trône sur la tablette du foyer. Je me suis finalement décidée. Hier soir, je l'ai apportée dans ma chambre. Je l'ai sortie de son cadre. Je nous ai examinés attentivement, eux et moi. Mes parents et mes frères, avec leurs yeux bleus en bouton. Moi avec mes yeux noirs en boutonnière. Moi, la seule tache sombre au milieu de leurs quatre têtes dorées. Je suis une prune parmi des pêches. Un grain de poivre dans un bol de sucre. Pas étonnant que j'attire les Fouineuses.

Avec mon crayon-feutre jaune, je me suis transformée en blonde à bouclettes. Avec du bleu pastel, je me suis dessiné des yeux ronds. Peine perdue. J'avais toujours l'air aussi Chinoise. J'ai barbouillé ma tête avec mon stylo. Il y avait maintenant une grosse tache noire au milieu de leurs visages souriants. J'ai pesé si fort que mon stylo a transpercé le papier. Une de mes larmes est tombée dans la déchirure. J'ai caché la photo humide et trouée sous mon matelas.

▲▲▲

Ce matin, pour la première fois depuis l'arrivée de Tête-de-Navet, j'avais envie d'aller à l'école. J'ai glissé mon drapeau miniature dans mon sac à dos. Un drapeau pas plus grand que ma main, que j'avais moi-même découpé dans du carton bleu. Un drapeau que j'avais très hâte de planter. Ne restait plus qu'à attendre le bon moment.

Ce bon moment est venu après la récréation. Pendant que madame Chantal travaillait à l'ordinateur avec un petit groupe, je suis allée à l'aiguisoir placé en dessous de la carte murale du Québec. J'ai épinglé mon drapeau au nord de la carte, juste à côté de Chibougamau.

Pour m'assurer que la nouvelle circule vite, j'ai mis Fanny Falardeau dans le coup. Dix minutes plus tard, une file d'élèves s'alignait à l'aiguisoir. Dès qu'ils voyaient le drapeau, ils se mettaient à ricaner tout bas. Toujours occupée à l'ordinateur, la prof ne se rendait compte de rien.

Lorsque Ève Nantais a vu mon étendard miniature, elle s'est précipitée dans la ligne pour arracher le drapeau de la carte. Au moins la moitié de la classe avait eu le temps de lire l'inscription sur le drapeau : «Chapais, capitale mondiale des Têtes-de-Navets».

Pour détourner l'attention, la chipie a fait circuler une note. «Suivez-moi à la récré. Grande démonstration de cerf-volant acrobatique par la Reine du ciel.» Quand Mathilde m'a passé la note, je l'ai jetée à la poubelle au lieu de la donner à mon voisin.

À la récré, tous les élèves de cinquième se sont massés autour de la chipie de Chapais. Sauf moi. Pas besoin de m'approcher. Même de loin, je voyais bien son cerf-volant, un énorme triangle décoré d'un aigle violet. Le cerf-volant avait deux cordes attachées à des poignées et une longue queue munie de trois grosses boucles en satin rouge. Tête-de-Navet n'arrêtait pas de répéter très fort que son cerf-volant avait coûté cent dollars.

Son aigle à bout de bras, elle s'est mise à courir à petits pas de pingouin, gênée par sa mini minijupe. Elle avait l'air complètement ridicule. Après quelques faux départs, l'aigle a fini par décoller. Dans le ciel, le cerf-volant de la Nantais lui ressemblait. Il se dandinait en fanfaron.

En croisant ses deux cordes, elle a tracé des ronds et des huit avec son aigle.

— Regardez bien. Je vais faire un piqué-remonté.

Elle a fait descendre son cerf-volant à pleine vitesse en ligne droite vers le sol. Elle l'a redressé à la dernière seconde, juste à temps pour éviter l'écrasement. Fanny Falardeau a poussé un cri d'admiration. Quelques filles ont applaudi. Moi, ces petites acrobaties ne m'impressionnaient pas. « Reine du ciel » mon œil ! Je dirais plutôt reine de la vantardise.

▲ ▲ ▲

J'ai trouvé une nouvelle façon de me défouler. Quand j'ai terminé mes devoirs, je m'enferme dans ma chambre. Avec mon crayon à mine qui sent la fraise, je m'amuse à créer des bandes dessinées. En vedette : la chipie de Chapais. Je lui plante un nez énorme, des pustules au menton, des lèvres aussi vertes que ses paupières. Dans chaque histoire, une catastrophe lui tombe dessus. Je la dessine faisant pipi dans sa minijupe pendant une présentation orale. Entortillée comme une momie dans les cordes de son cerf-volant. Perdue dans une forêt touffue. Comme B.D., c'est encore loin du chef-d'œuvre, mais quelques dessins sont plutôt rigolos. Tout de même, ça reste des images. Dommage.

-6-

Chang me pique

Je n'ai parlé à personne de Chang. Ni à ma mère ni à Francis. Même pas à Mathilde et Maude. Je n'ai pas envie de la partager. Chaque soir, en revenant de l'école, j'arrête lui dire bonjour. Chaque fois, elle m'offre ses bonbons qui goûtent la betterave bouillie.

Chang vient d'une dynastie d'acupuncteurs. Elle avait deux ans quand ses parents ont immigré au Canada. Elle ne se souvient pas de la Chine. À l'école primaire, on se moquait de ses yeux et de son nom. Maintenant qu'elle va au cégep, on la laisse tranquille. Même si elle n'est pas une adoptée, Chang se fait souvent zieuter à l'épicerie. Elle aussi déteste les Fouineuses.

Chang m'a raconté qu'il lui a fallu une journée entière pour peindre la porte rouge aux étoiles dorées, une réplique du drapeau chinois. Elle dit que les culottes fendues, c'est mieux que les couches, car les bébés chinois apprennent plus vite à faire pipi dans la toilette. Elle préfère manger avec des baguettes plutôt qu'avec une fourchette parce qu'elle n'aime pas le goût du métal dans sa bouche. D'après Chang, Confucius est ce que la Chine a donné de meilleur au monde. «Tu t'imagines, même après deux mille cinq cents ans, ses enseignements sont encore applicables!» Je n'ai pas osé avouer que je ne connaissais pas Confucius. Je ne voulais pas avoir l'air d'une ignorante.

Quand mon père me parle de la Chine, je me bouche les oreilles. Quand Chang me parle de la Chine, j'ouvre grand les oreilles.

Je lui ai demandé plusieurs fois de me faire un peu d'acupuncture, juste pour voir. Elle a fini par céder en disant «d'accord, mais je ne devrais pas». Chang a piqué une minuscule aiguille sur le bout de mon pouce. Ça pince à peine. Ça fait moins mal que les insultes d'Ève Nantais.

▲ ▲ ▲

J'ai failli me faire prendre en train de dessiner une caricature cruelle de Tête-de-Navet. Lorsque ma mère est entrée sans frapper dans ma chambre, j'ai juste eu le temps de cacher mon dessin sous un livre.

— Tiens, Alice, j'ai enfin trouvé une photo pour ton concours de classe.

— Plus besoin de m'appeler Alice.

— Ah bon, on revient à Ping?

— Hmmm.

Ma mère n'a pas posé de questions. Elle sait quand il vaut mieux se taire. Je lui ai redonné la photo qu'elle avait mise sur mon pupitre.

— Je ne participe plus à ce concours débile.

Ma mère n'a pas réagi, comme si elle n'avait pas entendu. Elle contemplait la photo d'un air attendri. Une photo de mon père et de moi, prise en Chine. Debout sur des remparts, il tient dans ses bras un bébé maigrichon. Moi.

— Ton père était tellement excité de voir enfin la Grande Muraille.

J'ai mis ma main sur mon cœur et j'ai pris l'air exalté de papa quand il parle de la Chine.

— Ah! La Grande Muraille! Quelle merveille! Le mur le plus long du monde! La seule construction qu'on peut voir de la Lune. Incroyables ces Chinois!

Maman a ri.

— Pas mauvaise ton imitation.

J'ai repoussé la photo du bout des doigts.

— Elle est floue, ta photo.

— Je sais. Je pleurais quand je l'ai prise.

— Pourquoi?

— Parce que je voulais une fille depuis si longtemps. Parce que tu étais si belle. Parce que tu nous souriais pour la première fois. On attendait ça depuis trois jours. Quand tu as enfin souri, j'ai pensé : «Ping a décidé qu'on ferait l'affaire comme parents. Ouf!» Et les larmes ont coulé...

Maman m'a fait un proutt dans le cou. Sa façon à elle de donner des bisous. Avant de sortir, elle a épinglé la photo sur mon babillard.

— Quand tu seras prête, tu pourras la mettre sur la tablette de la cheminée.

Ma mère a des antennes. Elle comprend tout sans qu'on lui explique.

-7-

Des cheveux blond miel

Avant de me donner la teinture que je lui avais demandé d'acheter, Francis a exigé trois dollars de plus. « Pour mon déplacement et pour garder le secret », qu'il a dit. Je l'ai traité de profiteur, de rapace. Puis j'ai payé. Toute mon allocation de la semaine engloutie d'un seul coup. Mais je la voulais, cette teinture.

Sur la boîte de carton, une femme exhibait ses longs cheveux blond miel. J'imaginais déjà ma métamorphose. **Avant** : mes cheveux charbon, aussi raides que des lacets. **Après** :

ma chevelure souple et blonde flottant au vent. Disparu le grain de poivre dans le bol de sucre.

On a mené l'opération coloration dans la salle de lavage au sous-sol chez Mathilde. Elle m'a appliqué la teinture pendant que Maude l'inondait de conseils inutiles.

— Ça pue!

— Plus ça pue, plus c'est efficace, a déclaré Maude l'experte.

— As-tu bientôt fini? J'ai mal au cou!

— Il faut souffrir pour être blonde.

Après trente minutes qui m'ont semblé trois heures, Mathilde m'a rincé les cheveux. Avant même de me regarder dans le miroir, j'ai su que ça n'allait pas. Mes coiffeuses avaient l'air trop coupables.

Pour une transformation, c'en était toute une. Autant l'appeler par son vrai nom : un désastre. Au lieu du blond miel, ma crinière avait viré à l'orange citrouille.

— Mathilde, vite, le shampoing! Il faut que je me lave les cheveux.

— La couleur ne partira pas! C'est écrit sur la boîte que la teinture dure trois mois.

— Mais je ne peux pas aller à l'école avec cette tête-là!

— Hé! Il t'arrive la même malchance qu'à Anne, dans l'histoire de *Anne... La Maison aux pignons verts*, fait Mathilde.

— Sauf qu'Anne s'était retrouvée avec des cheveux verts, pas orange. Tu te souviens, il a fallu qu'elle se rase la tête.

— Tu veux qu'on te rase, Ping?

— Haha. Très drôle. Je vous signale qu'on n'est pas dans un roman ici mais dans la vraie vie. Ma vie.

J'ai lancé ma serviette contre la porte. Mathilde et Maude n'osaient plus me regarder.

— Je ne comprends pas pourquoi ça n'a pas fonctionné. Peut-être que les cheveux chinois réagissent bizarrement au colorant, a repris timidement Maude.

— Les cheveux chinois? De quoi tu parles? Tu es vraiment débile! Des cheveux, c'est des cheveux! Il n'y a rien de chinois là-dedans!

▲ ▲ ▲

Quand papa a vu ma tignasse citrouille, il a poussé les hauts cris.

— Tes beaux cheveux! Qu'est-ce qui t'a pris?

— L'Halloween, ce n'est que dans six mois, s'est exclamé Frédéric en pouffant de rire.

— Ma pauvre Ping, on ne peut pas passer de noire à blonde, a dit maman en se mordant la lèvre pour garder son sérieux.

Devant mon air catastrophé, elle a rajouté :

— Je vais t'amener chez mon coiffeur. Il pourra réparer ce dégât.

Francis n'a rien dit. Il m'a tendu sa casquette pour que je cache le gâchis. À mon retour de chez le coiffeur (qui a reteint mes cheveux en noir), j'ai trouvé trois dollars sous mon oreiller.

-8-

Fang Pi Chong

Il n'y a pas que les Fouineuses qui m'énervent. Il y a aussi les Chinois. Les vrais. Lorsque nous allons manger en famille dans le quartier chinois, ils me regardent toujours d'un air étrange. Comme si j'avais de la barbe sur les joues ou une crotte de nez à moitié sortie de la narine.

Quand j'avais sept ans, une vieille Chinoise s'est approchée de moi dans les toilettes d'un restaurant. Elle m'a parlé en chinois, très fort. Elle s'est fâchée parce que je ne répondais pas. Elle s'est mise à crier. Ma mère a accouru et m'a prise dans ses bras. Comme je n'arrêtais pas de pleurer, on est tous rentrés à la maison sans manger.

J'ai l'air d'une Chinoise sans en être une. Je suis une Québécoise sans en avoir l'air. J'envie les serpents. Ils peuvent changer de peau, eux.

▲ ▲ ▲

Ève Nantais ne me laisse plus tranquille. Avant, elle m'insultait seulement pendant les récrés. Maintenant, elle me poursuit partout. Cet après-midi, je lisais dans mon coin préféré de la bibliothèque quand elle est encore venue me narguer. Elle a chuchoté très fort, pour que les autres autour l'entendent.

— Eh Ping-Pong! Fais-nous rire un peu. Comment on dit «merde» en ching-ching?

— Ping ne parle pas chinois, a dit Fanny Falardeau, à qui je n'avais pourtant rien demandé.

Moi qui attendais depuis longtemps le bon moment d'étaler mes connaissances en chinois, j'ai sauté sur l'occasion.

— Veux-tu savoir comment on dit ton nom en chinois?

Tête-de-Navet a haussé les épaules, méfiante. Elle flairait le piège, mais elle mourait d'envie de savoir.

— Tu ne le sais pas pour le vrai.

— *Fang Pi Chong*.

— Hein?

— *Fang Pi*, ça veut dire pet. *Chong*, ça veut dire insecte. Pet d'insecte. C'est bien ça, ton nom?

Mathilde et Maude ont ri tellement fort que madame

Chantal a menacé de les expulser de la bibliothèque. J'ai savouré ma vengeance en silence, tandis que Pet d'insecte boudait dans son coin.

▲ ▲ ▲

Quand je suis arrêtée à la clinique d'acupuncture, après l'école, le désordre total régnait dans la salle d'attente. Chang avait étendu du papier de soie partout. De grands carrés rouges, bleus, jaunes, verts s'étalaient sur les chaises, le bureau, même l'ordinateur.

— Qu'est-ce que tu prépares?

— On va te fabriquer un cerf-volant de combat. Pour que tu puisses éblouir mademoiselle Fang Pi Chong.

— Avec du papier d'emballage à cadeau?

— Oui, ma chère! C'est ce qu'on utilise en Chine. Si ton cerf-volant se brise dans l'action, tu en fabriqueras un autre.

On a commencé par monter la charpente avec des baguettes de bambou. Un grand carré avec une pointe en haut et une pointe en bas : la forme du cerf-volant de combat. Il fallait ensuite recouvrir de peau ce squelette. J'ai choisi le papier rouge pompier, couleur du drapeau de la Chine. Comme décoration, j'ai collé sur le cerf-volant un grand papillon découpé dans du papier jaune serin. Je voulais rajouter une queue décorée de boucles colorées, mais Chang m'a dit d'oublier ça.

— La queue sert à stabiliser le cerf-volant. Toi, tu ne cherches pas la stabilité. Ton cerf-volant de combat, tu le veux ultra-léger, rapide, facile à manœuvrer.

— Mais le cerf-volant d'Ève Nantais a une queue avec de grosses boucles rouges.

— Bel exemple de vanité... et de stupidité. Un cerf-volant acrobatique ne devrait pas avoir de queue, a décrété Chang.

Pendant qu'elle installait les cordes à mon papillon, Chang m'a expliqué qu'en Chine les vrais cerfs-volants de combat sont munis d'une ficelle enrobée de poudre de verre.

— Comme je ne veux pas que tu te coupes un doigt, on va se contenter de cette corde de nylon.

— Comment je vais faire alors pour couper la corde de mon adversaire?

— Pense à tes cours de science. La friction de deux matériaux identiques crée une chaleur. Quand les deux cordes frottent l'une contre l'autre, ça chauffe et hop!, la corde moins tendue coupe la corde plus rigide aussi facilement qu'un couteau coupe du beurre mou.

Chang a sorti son cerf-volant, un panda noir sur fond vert forêt. Elle m'a prêté des gants de cuir et nous sommes allées au parc. Au début, mon cerf-volant ne m'obéissait pas. Il tirait à gauche, à droite avec des mouvements saccadés. Il virevoltait comme un vrai papillon. «Il faut que tu apprivoises le vent, que tu apprennes à jouer avec lui», m'a crié Chang en faisant joliment valser son panda.

Au moment où je commençais à le contrôler un peu mieux, Chang a rapproché son panda de mon papillon. Elle m'a coupé ma corde en un rien de temps. Mon papillon s'est envolé gaiement, tout heureux de se voir libéré de mes mains maladroites. Heureusement, au bout d'une minute, le vent a diminué et mon cerf-volant est tombé. Pour le récupérer, j'ai dû courir à l'autre bout du parc où il pendait, piteux, d'une branche d'arbre.

Dans les vraies compétitions de cerfs-volants de combat, celui qui réussit à couper la corde de l'adversaire gagne le cerf-volant de ce dernier. Comme on jouait pour le plaisir, j'ai pu garder mon papillon.

Chang m'a expliqué la technique, m'a montré tous ses trucs. Au bout d'une heure, je contrôlais mieux mon cerf-volant. Quand j'ai finalement réussi, pour la première fois, à couper la corde de Chang, j'avais les bras épuisés et les mains endolories.

— Si tu n'avais pas mis de gants, tu aurais eu les mains brûlées par la corde, m'a dit Chang.

Mon cerf-volant n'a pas trop souffert de cette première leçon. Je n'ai pas eu besoin de le rapiécer. Cher papillon. Il n'a pas de queue, mais il a du mordant. J'ai encore besoin d'entraînement, mais je suis confiante. Bientôt, je pourrai trancher la corde de l'aigle violet de la reine du ciel.

-9-

Les yeux ronds

J'ai fouillé dans notre encyclopédie. Je sais maintenant qui est Confucius. Un célèbre penseur chinois qui a écrit plein de proverbes. Son plus célèbre : «Ne fais pas aux autres ce que tu ne voudrais pas qu'on te fasse.» Hum. Plus facile à dire qu'à faire. Je me demande si ce Confucius a déjà eu une Tête-de-Navet qui le talonnait.

Mathilde et Maude pensent que la Nantais va finir par se fatiguer de me répéter les mêmes niaiseries. Moi, je trouve qu'elle ne se fatigue pas vite.

En attendant, je me défoule dans mes bandes dessinées. La pile grossit sous mon lit. Je continue d'inventer des malheurs pour Tête-de-Navet. Un autobus scolaire lui roule sur le pied. Elle tombe dans une bouche d'égout. Elle se fait pourchasser par une meute de mouffettes enragées. Mes histoires sont de moins en moins drôles, de plus en plus violentes. Est-ce que je deviens cruelle, moi aussi?

Avant la venue d'Ève Nantais, personne à l'école ne se moquait de moi. Mes yeux bridés, mon teint margarine, on ne les remarquait plus. J'étais différente, mais je n'y pensais jamais. Maintenant, tout a changé.

Quand la chipie m'appelle ching-ching, les filles de

cinquième année regardent ailleurs. Elles s'éloignent de moi, l'air gêné. Pourquoi? Je ne comprends pas. Avoir les yeux en amande, ce n'est pas une maladie contagieuse. Mathilde et Maude protestent un peu mais pas très fort. De quoi ont-elles donc si peur? De se faire ridiculiser à leur tour?

La Nantais continue de me décocher ses insultes, mais j'essaie de ne pas me laisser égratigner. Je m'invente des boucliers, je me crée une carapace. Ce midi encore, assise à ma table, elle a crié :

— Savez-vous ce que Ping-Pong mange aujourd'hui?

Personne n'a répondu. Personne ne lui a dit de se taire.

— Des chinoiseries!

Elle a éclaté de rire et m'a tendu deux crayons.

— Tiens, prends ta fourchette.

J'ai fait comme si elle n'existait pas. C'est ma nouvelle tactique. Jouer l'inaccessible. Je reste aussi calme qu'un cube de glace. Je pense à Confucius. Je redresse mes épaules. Je regarde au loin d'un air rêveur. Je suis la Grande Dame de la Dignité.

▲ ▲ ▲

Pour le changement de nom, c'est raté. Tout le monde oublie de m'appeler Alice. Pour les cheveux teints, raté aussi. Reste les yeux. J'ai déjà vu à la télé une émission dans laquelle des Chinoises se faisaient opérer pour arrondir leurs yeux. On leur coupe un petit bout de paupière et hop!

fini les yeux en amande. Malheureusement, pas question pour moi d'espérer ce coup de bistouri. S'il fallait que j'ose seulement aborder le sujet avec mon père, il aurait un arrêt cardiaque! Tant pis. J'ai une idée plus simple pour «débrider» mes yeux.

J'ai attendu que la maisonnée soit endormie pour tenter ma transformation. J'ai commencé avec du ruban gommé, mais ça ne collait pas. Heureusement, j'avais piqué dans l'atelier de papa un rouleau de ruban en vinyle gris, très large et archi-collant.

J'ai d'abord coupé deux carrés de ruban puis une bande plus longue. Ensuite, j'ai tiré la peau de chaque côté de mes yeux vers mon nez. Pour la tenir en place, j'ai collé un morceau de ruban sur chaque œil. J'ai renforcé mes cache-œils de pirate en enroulant une bande de ruban tout le tour de ma tête. Comme ça, mes bandages ne se décolleraient pas pendant que je dormais. La peau me tirait, mais c'est ce qu'il fallait. Après deux ou trois semaines de ce traitement, mes yeux ne pourraient que s'arrondir.

En tâtonnant pour me rendre à mon lit, j'ai fait tomber une pile de livres et je me suis cogné un pied sur le coin de mon bureau. Comment ils font, les aveugles, pour se débrouiller dans le noir toute leur vie?

Je me suis réveillée en pleine nuit avec un mal de tête terrible. Le ruban de vinyle me tirait la peau. J'ai tenté de relâcher le bandage, mais j'avais trop de cheveux collés au ruban. Mieux valait arrêter le traitement pour cette nuit. J'ai glissé ma main sous mon oreiller pour prendre mes ciseaux. Mes ciseaux. Où étaient mes ciseaux? Je les avais pourtant placés là avant de m'endormir. À quatre pattes, j'ai tripoté le tapis autour de mon lit. Dix minutes de tâtonnements n'ont rien donné. Sauf un crayon à mine enfoncé dans un genou et un mal de bloc encore plus douloureux. Je n'avais plus le choix : il fallait que je demande de l'aide.

En me guidant sur le mur, j'ai marché à petits pas jusqu'à la chambre de Francis. Je l'ai réveillé en trébuchant sur son ballon de soccer.

— Hein?! Quoi? Qu'est-ce qui se passe?

Mon frère n'a pas voulu essayer de me couper mes bandages.

— Si je te crève un œil, je vais en entendre parler pour le reste de mes jours.

Francis a donc réveillé les parents. Papa s'est mis à cotcotter comme une poule en panique. Maman m'a prise par un bras et m'a menée à la salle de bain. Elle a coupé la première bande. Malgré sa touche délicate, elle m'a arraché quelques cheveux en l'enlevant. Pour décoller mes cache-œils de pirate, elle a appliqué de l'eau chaude et de la crème hydratante autour de mes yeux. Je m'agrippais au lavabo pour ne pas me plaindre.

Quand tout a finalement été décollé, j'ai vu tout de suite que mes yeux n'avaient pas changé d'un poil. Toujours aussi bêtement bridés. Pire encore, j'avais maintenant une large bande de peau irritée au front et un cercle rouge autour de chaque œil.

— Tu as l'air d'un raton laveur, a dit Francis.

Mon père, silencieux pendant l'opération décollage, s'est mis en mode sermon.

— Mais qu'est-ce qui t'a pris? Tu aurais pu t'abîmer les yeux! Tu aurais pu...

— Arrête! Tu ne comprends jamais rien! Rien! Tu aimerais ça, toi, te faire traiter de ching-ching, d'importée?

Mon père et Francis me regardaient, l'air ébahi. J'étais surprise moi-même d'avoir crié si fort. Ma mère a poussé les gars hors de la salle de bain. Elle s'est assise sur le siège des toilettes. M'a prise sur ses genoux. M'a bercée.

— Maman... Je ne serai jamais une Alice aux cheveux blonds et aux yeux ronds?

— Non.

Je le savais déjà. J'ai pleuré quand même. Ma mère m'a serrée encore plus fort contre elle.

— Ces crétins qui te traitent de ching-ching?...

— Je n'ai pas envie d'en parler.

— Tu veux que j'aille à l'école pour voir avec ton prof comment on pourrait régler ce problème?

— Non. Si tu t'en mêles, je me ferai traiter de bébé.

Maman a pris mon visage entre ses mains et m'a chuchoté très fort :

— Ils sont beaux – très beaux! – tes yeux bridés! Ceux

qui prétendent le contraire sont de sacrés crétins. Tu leur diras ça de ma part.

J'avais laissé une trace gluante de larmes et de morve sur l'épaule du pyjama de maman. Elle a fait semblant de se fâcher.

— Sacrée crétine! Tu ne peux pas pleurer proprement? Allez, au lit!

▲ ▲ ▲

En me réveillant ce matin, j'ai trouvé la note que Francis avait glissée sous ma porte.

DERNIER AVERTISSEMENT

1. **Si tu viens encore me réveiller en pleine nuit, tu auras affaire à moi.**

2. Une autre stupidité avec tes cheveux ou tes yeux et tu auras affaire à moi.
3. Le prochain qui te traite de ching-ching aura affaire à moi.

P.S. Tu n'as pas encore compris qu'on t'aime avec la tête que tu as?

-10-

Ma Grande Muraille

C'était un accident, mais la Nantais ne me croyait pas. Elle a jeté sa raquette sur le plancher du gymnase et couru se plaindre au prof d'éducation physique. Elle a dit que j'avais fait exprès de lui envoyer le volant de badminton au visage. N'importe qui pouvait comprendre qu'elle pleurnichait parce que je gagnais la partie. Le prof nous a fait asseoir dans un coin et nous a dit de régler cette chicane entre nous. Rouge de rage, Ève Nantais m'a crié :

— Retourne donc en Chine !

J'ai riposté :

— Retourne donc à Chapais!

Je lui avais pourtant dit, au prof, de ne pas m'obliger à jouer avec elle.

▲ ▲ ▲

Au dîner, je n'ai même pas eu le temps de prendre une bouchée que déjà la chipie de Chapais m'attaquait.

— Hé! Ping-Pong, tu ne portes plus tes culottes fendues?

Je me suis concentrée sur mon macaroni. J'ai pris ma pose de Grande Dame de la Dignité.

— Hé! Ping! Mon père dit que la Chine fabrique seulement de la pacotille. Peut-être qu'on devrait t'appeler Pacotille au lieu de Ping-Pong?

Maude a rapproché sa chaise de la mienne. Mathilde a dit d'une voix incertaine :

— Arrête, Ève.

Il en faudrait plus que ça pour faire taire la Nantais.

— Hé ! ching-ching ! Tu te penses bonne mais t'es rien qu'une adoptée.

Trop, c'est trop. La Grande Dame de la Dignité a frémi.

— Et toi, t'es rien qu'une mauvaise perdante.

Clignotement des paupières vertes. Tête-de-Navet a inspiré un grand coup avant de lâcher sa bombe.

— Tu es tellement laide que ta vraie mère t'a abandonnée.

On aurait dit qu'un acupuncteur m'avait planté une poignée d'aiguilles dans les talons.

J'ai bondi. J'ai saisi le sandwich, les biscuits et la pomme d'Ève Nantais et j'ai tout jeté dans la poubelle. Son dîner au complet! Puis j'ai couru me cacher dans les toilettes.

C'est comme ça que la Grande Dame de la Dignité s'est effondrée.

▲ ▲ ▲

Dès que la cloche a sonné, j'ai filé à la clinique d'acupuncture. J'avais besoin de voir Chang. Vite. Et je voulais qu'elle me donne une réponse franche.

— En Chine, est-ce que je serais jolie? laide? ordinaire?

Chang a tiré une loupe de son tiroir, l'a placée au-dessus de mon nez.

— Mmm... Beau spécimen de narine.

— Sérieusement. Je veux savoir.

— Je dirais « pas mal ». Pourquoi? Tu veux te présenter à un concours de beauté?

— Si je suis « pas mal », pourquoi est-ce que ma mère chinoise m'a abandonnée?

Chang a poussé un profond soupir.

— Tout ce que je peux te dire, tu l'as sans doute déjà entendu.

— Réponds s'il te plaît.

Deuxième profond soupir de Chang.

— Peut-être que ta mère était trop pauvre? Peut-être qu'elle voulait un garçon? Tu sais, en Chine, ils sont plus d'un milliard d'habitants! Ils vivent entassés les uns sur les autres. Les familles ne doivent pas avoir plus d'un enfant. Un garçon, c'est tellement important là-bas...

Chang m'a tendu un de ses bonbons qui goûtent la betterave bouillie.

— Tiens, tes préférés.

J'ai haussé les épaules. Pas drôle sa blague.

Troisième profond soupir de Chang.

— C'est encore mademoiselle *Fang Pi Chong* qui te fait la vie dure?

— Ouais.

— Si tu lui proposais un combat de cerfs-volants? Peut-être qu'après elle te respecterait?

— Tu crois que je suis prête?

— Après toutes ces heures de pratique, ton papillon ne fera qu'une bouchée de son aigle.

À nous deux, Nantais-Navet. La reine du ciel va perdre son trône.

▲ ▲ ▲

Ce soir-là, dans ma chambre, mon crayon courait sur le papier. Les idées se bousculaient, les images suivaient. Je ne sais même pas d'où elles sortaient. Ma rage avait fondu, je me promenais directement dans mon dessin, c'était magique. Aujourd'hui je regarde le résultat, encore tout étonnée. J'ai dessiné ça, moi? Vraiment?

Pour la première fois, je suis en vedette dans une de mes B.D. Je marche sur la Lune. À mes pieds, la Terre ressemble à un ballon bleu, traversé d'un long ruban argenté : la Grande Muraille. Il fait froid. Je me penche, je tire sur le ruban et l'enroule autour de mon corps. Mon cocon de chaleur. Tête-de-Navet, lèvres vertes et pustules au menton, débarque à son tour sur la Lune. Elle grelotte dans sa minijupe. Elle me crie des gros mots. Ses insultes viennent ricocher contre ma Grande Muraille – ping! – et lui rebondissent au visage. Emmitouflée comme une momie dans mon cocon argenté, je souris. Un sourire si large qu'il lèche mes lobes d'oreilles.

C'est la meilleure B.D. que j'ai jamais dessinée. Sûr et certain. Je n'arrête pas de la sortir de sous mon lit pour la contempler. J'ai envie de la montrer à ma mère, à Chang, à Mathilde et à Maude. De leur crier : « Regardez! Regardez comme ça bouge! Ces joyeux ricochets! Regardez comme je n'ai plus honte! »

-11-

Aigle contre papillon

J'avais envoyé un message très clair à la Nantais : « Rendez-vous demain dans la cour d'école après la dernière cloche. Apporte ton cerf-volant. »

Dès la fin des classes, une douzaine de filles nous ont suivies, curieuses de voir s'il y aurait encore de la bisbille. Quand elle a aperçu mon cerf-volant, Tête-de-Navet a fait une grimace de dédain.

— C'est quoi cette bébelle?

— On voit que tu ne connais rien là-dedans. C'est un cerf-volant de combat.

— Ça se joue comment? a demandé Fanny Falardeau, future Fouineuse.

— Il faut essayer de couper la corde du cerf-volant de l'ennemi. Celui qui réussit garde le cerf-volant de l'autre.

— Peuh! Stupide comme jeu, a décrété la Nantais.

— Tu as peur de perdre?

Elle a hésité, mais son orgueil a été plus fort.

— On joue.

Quand j'ai mis mes gants de cuir, Ève Nantais a ricané. J'ai laissé faire. Bientôt, son rire serait aussi jaune que mon papillon.

Dans la cour d'école, il soufflait un vent parfait. Juste assez fort pour ébouriffer les cheveux mais pas assez pour faire tourbillonner les déchets.

Chang m'avait prévenue. Le cerf-volant acrobatique est plus agile que le cerf-volant de combat. Grâce à ses deux cordes, la Nantais pourrait faire des virages beaucoup plus rapides que les miens. J'avais tout de même deux avantages sur elle. Premièrement, elle ne connaissait pas la technique du cerf-volant de combat. Deuxièmement, sa corde était plus mince que la mienne, donc plus vulnérable.

Nos cerfs-volants ont tout de suite monté très haut. À côté du grand aigle à queue rouge, mon papillon avait l'air bien fragile.

— Je vais vous faire une démonstration d'acrobaties, a annoncé la chipie.

Je l'ai laissée réaliser quelques prouesses puis j'ai

manœuvré pour me rapprocher d'elle.

«Tu n'as qu'à couper une de ses cordes et tout sera fini. Avec une seule corde, un cerf-volant acrobatique n'est pas mieux que mort», m'avait expliqué Chang.

Je voulais bien couper une seule corde, mais encore fallait-il que je réussisse à m'approcher. Dès que mon cerf-volant s'avançait vers le sien, Tête-de-Navet changeait de direction. Son aigle virait tellement vite que mon papillon avait l'air d'une tortue endormie.

Le soleil me dardait ses rayons dans les yeux et me donnait mal à la tête. Mes mains transpiraient dans mes gants. Et si je n'arrivais pas à accrocher son cerf-volant? Et si Chang s'était trompée? Était-il trop tard pour reculer? J'ai eu envie de tout lâcher, de rentrer chez moi. Puis j'ai pensé à toutes les insultes que Tête-de-Navet m'avait lancées. Non. Non. Je ne reculerais pas.

«Sois stratégique», m'avait dit Chang. Stratégique. Ouais. Plus facile à dire qu'à faire. Ma seule chance, c'était de prendre la Nantais par surprise. D'abord, endormir sa méfiance. Lui laisser croire à sa supériorité. La laisser faire ses acrobaties débiles. Pendant ce temps-là, elle se fatiguait les bras. Après tout, son cerf-volant était plus lourd que le mien.

Tête-de-Navet a fait monter son cerf-volant encore plus haut puis s'est mise à tracer des huit dans le ciel en entrecroisant ses cordes.

— *Wow!* Comment tu fais ça?! s'est exclamée Fanny Falardeau.

Pendant ce temps, je laissais tranquillement voguer mon papillon, en pépère. Au bout de quelques minutes, alors qu'on m'avait presque oubliée, j'ai décidé de passer à l'attaque.

J'ai dévidé ma corde pour monter à la hauteur de son aigle. Je me suis mise à la talonner. Elle se sauvait à mon approche. Je la poussais lentement pour que son cerf-volant ait la pointe face au vent.

— Eh, l'aigle a peur du papillon! a crié Maude.

La Nantais lui a jeté un regard en coin. Elle a reniflé d'un air dédaigneux.

— Penses-tu!

Pour prouver son courage, elle m'a laissée m'approcher un peu plus près. Quand son cerf-volant a eu le nez face au vent, il a perdu de l'altitude. Ses virages étaient moins rapides. J'ai profité de l'ouverture.

D'un mouvement vif, j'ai ramené mon cerf-volant vers la gauche. Je l'ai fait passer entre les deux cordes du sien. Vite! Remonte! Remonte, papillon! Yé! Ma corde était enfin enroulée autour d'une de ses cordes. Dans mon dos, j'ai entendu la voix de Mathilde : «Vas-y, Ping!»

Alors la reine du ciel a fait exactement ce qu'il ne fallait pas faire. Elle a tenté de se dégager en tirant. Sa corde s'est tendue. Elle a donné des coups pour se déprendre, ce qui a augmenté la friction de nos cordes. En moins de deux minutes, ma corde avait scié la sienne.

Handicapé avec une seule corde, l'aigle s'est mis à tourner sur lui-même, comme une toupie. Il a frappé mon papillon, dont l'une des pointes s'est fendue. Mon cerf-volant a perdu lui aussi de l'altitude. J'ai prié, prié, pour que la déchirure ne s'agrandisse pas.

J'ai serré mes doigts très fort autour de mon dévidoir, pour les empêcher de trembler. Mon papillon a continué de virevolter dans le ciel, malgré son aile blessée. Après avoir tournoyé encore un peu, l'aigle a piqué du nez avant d'atterrir sur la glissoire des petits.

Mathilde et Maude ont applaudi.

— *Wow!* Comment tu as fait ça, Ping?! s'est exclamée Fanny Falardeau.

Ève Nantais s'est traîné les pieds jusqu'à la glissoire. Elle a ramassé son cerf-volant. Elle est revenue vers moi, tête baissée. Fini les dandinements de championne. On aurait dit que ses souliers pesaient chacun dix kilos. Sans dire un mot, elle a lancé son aigle à mes pieds. Puis elle est partie. Personne ne l'a suivie.

▲ ▲ ▲

— Miss Première-en-tout se pense moins bonne maintenant, a déclaré Maude.

— T'es la meilleure, Ping! a lancé Mathilde.

Je n'avais pas envie de rire ni de célébrer. Je n'en voulais pas de son cerf-volant à cent dollars. J'étais fatiguée de tout ça. Des insultes. Des petites vengeances. De cette chicane interminable. J'avais envie de couper ma propre corde et de m'envoler pour une balade dans les nuages. J'ai entendu le rire de Chang, sa voix qui me disait : «Tu sais ce que ça veut dire, ton nom, en chinois?»

J'ai ramassé les deux cerfs-volants et j'ai couru. J'avais peur de ne pas la retrouver. J'ai réussi à la rattraper dans la rue derrière l'école. Elle avait les yeux rouges et des traces vert olive sur les joues. Je lui ai tendu son aigle. Ève Nantais m'a regardée sans comprendre.

— Pourquoi tu me le redonnes? Tu l'as gagné.

D'un ton bourru, j'ai répondu :

— J'en ai assez de tes attaques, de mes coups bas. Si tu veux vraiment tout savoir, Ping veut dire «paix» en chinois.

Pendant une minute, elle a digéré ma déclaration. Elle a repris son cerf-volant. Elle l'a serré contre sa poitrine comme si elle avait peur que je change d'idée. D'une voix tremblotante, la Nantais m'a dit :

— Il y a des choses qui ne sont pas faciles à accepter.

— Je sais.

— À Chapais, j'étais vraiment la première en tout. Plus maintenant.

— Moi, je m'appellerai toujours Ping et j'aurai toujours les yeux bridés.

On s'est regardées en silence, sans envie de se griffer. Hésitante, elle m'a demandé :

— Peut-être que je pourrais apprendre ton truc de cerf-volant de combat?

— Peut-être.

Elle a arraché la queue de son aigle et m'a tendu les trois boucles en satin rouge.

▲ ▲ ▲

En arrivant à la maison, j'ai couru dans ma chambre. J'ai sorti notre photo de famille de sous mon matelas. J'ai remplacé la photo barbouillée par celle de mon père et de moi sur la Grande Muraille. J'ai remis le cadre à sa place, sur la tablette du foyer.

J'ai hâte à demain. Je dîne chez Chang. Elle va me montrer comment manger avec des baguettes. Pour dessert, elle m'a promis des bonbons qui goûtent bon.

FIN

L'adoption des petites Chinoises : un papa adoptant répond à vos questions

par Jacques Henripin

1. Question : *Pourquoi avez-vous adopté une petite Chinoise ?*

Réponse : Ma femme et moi avions déjà deux fils, deux jumeaux. Nous trouvions que ce serait bien d'avoir aussi une fille. Moi, j'avais déjà soixante-cinq ans. Ma femme était beaucoup plus jeune, quarante-cinq ans, mais elle n'avait plus l'âge de faire un bébé. Alors, nous avons décidé d'adopter une petite Chinoise.

2. Question : *Pourquoi une Chinoise ?*

Réponse: Nous étions allés en Chine et nous avions été fascinés par ce pays. Nous avions des amis qui venaient d'adopter une petite Chinoise. Ils en étaient tellement contents qu'ils avaient décidé d'en adopter une deuxième. Et puis les Chinois ont bien organisé les adoptions par des étrangers. On peut leur faire confiance. Vous savez, c'est compliqué, adopter un enfant, surtout dans un autre pays.

3. Question: *Pourquoi est-ce compliqué d'adopter?*

Réponse: Il faut l'autorisation du Québec, celle du Canada et aussi celle de la Chine. Ce n'est pas tout. Figurez-vous que, même si nous avions déjà deux enfants de neuf ans, ma femme et moi avons dû passer quatre entrevues, qui étaient un peu comme des examens, où il nous a fallu montrer que nous pouvions être de bons parents. Il y a aussi beaucoup de papiers à remplir. Tout cela prend plusieurs mois. C'est frustrant et difficile pour les futurs parents, qui souvent ont très hâte de s'envoler vers la Chine chercher leur nouveau bébé.

4. Question: *Où sont les bébés quand les parents vont les chercher?*

Réponse: Dans un orphelinat.

5. Question: *Sont-ils bien traités dans ces orphelinats?*

Réponse: Notre fille était bien traitée dans l'orphelinat où elle se trouvait. Mais la

Chine est un pays où il y a encore beaucoup de pauvreté. Parfois, les orphelinats manquent d'argent pour acheter l'équipement nécessaire ou pour embaucher des employés. Les nourrices travaillent fort pour s'occuper des bébés, mais souvent elles ne sont pas assez nombreuses. Donc les bébés ne reçoivent pas tous les soins, l'attention ou l'amour que des parents pourraient leur donner.

6. Question : *Pourquoi est-ce qu'on trouve surtout des filles dans les orphelinats ?*

Réponse : La Chine est le pays le plus peuplé de la planète : plus d'un milliard de personnes ! Pour essayer de limiter la population, le Gouvernement recommande aux familles de n'avoir qu'un seul enfant. Il y a des pénalités pour les familles qui ont plus d'un enfant. Pour cette raison, il arrive que des familles qui ont eu une fille l'abandonnent, dans l'espoir d'avoir un autre bébé qui sera un garçon. Selon une coutume ancienne, il est très important d'avoir un garçon en Chine, car c'est lui qui, devenu adulte, prend soin de ses parents. Dans les campagnes, les couples ont l'autorisation d'avoir un deuxième enfant si le premier est une fille.

7. Question: *Est-ce que c'est difficile pour les Chinois d'abandonner leurs bébés filles?*

Réponse: Moi, je soupçonne que ce sont surtout les pères qui tiennent à confier une fille qui vient de naître à un orphelinat. Vous savez, les papas ne sont pas toujours attachés à leur enfant qui vient de naître. Ils n'ont pas vécu avec le bébé dans leur ventre pendant neuf mois. Les mamans chinoises, elles, doivent trouver cela très dur. J'éprouve un sentiment de reconnaissance énorme à l'égard de la mère biologique de ma fille, qui a maintenant onze ans.

8. Question: *Est-ce que vous connaissez la mère biologique de votre fille?*

Réponse: Non. Je ne la connaîtrai probablement jamais. La plupart des bébés qui sont à l'orphelinat ont été abandonnés par leurs parents. C'est donc difficile de les retrouver. Mais je voudrais bien que la mère de ma fille sache qu'on lui dit un gros merci pour le trésor qu'elle a «fabriqué».

9. Question: *C'est vous qui avez choisi votre fille à l'orphelinat?*

Réponse: Non, ni moi ni ma femme. L'orphelinat propose les bébés pour l'adoption, mais c'est le Centre d'adoption de Chine qui fait le jumelage parent-enfant. Avant de partir pour la Chine, on ne connaît que son nom et son âge. On est plusieurs parents à partir en même temps pour aller chercher les bébés en Chine. Quand on arrive après un long voyage en avion, une nourrice remet finalement chaque bébé dans les bras de sa nouvelle maman. C'est la fin de l'attente et le début d'une merveilleuse aventure.

10. Question: *Ça coûte combien, adopter une petite Chinoise?*

Réponse: Il faut payer les procédures légales et les billets d'avion pour se rendre en Chine. Il faut aussi faire un don de quelques milliers de dollars à l'orphelinat, ce qui rembourse une partie des dépenses qui ont été faites pour prendre soin des enfants. Grâce à cet argent, l'orphelinat peut nourrir et soigner un peu mieux les autres bébés.

11. Question: *Votre fille est-elle Chinoise ou Canadienne?*

Réponse: Elle est un peu les deux. Elle est une immigrée qui a acquis la citoyenneté canadienne. Elle avait onze mois quand elle est arrivée dans notre famille. Elle a donc appris le français et non le chinois. Elle se comporte comme toutes les Montréalaises de son âge. Mais elle sait qu'elle est née en Chine et elle en est très fière.

Jacques Henripin est démographe, écrivain, chercheur et professeur. On l'a surnommé le «père de la démographie québécoise». Il a reçu plusieurs prix (membre de l'Ordre du Canada, officier de l'Ordre national du Québec) pour sa contribution dans ce domaine.

12. Question: *Qu'est-ce que ça fait, un démographe?*

Réponse: Un démographe étudie les populations humaines. Prenons l'exemple du Canada. En 1600, il y avait à peu près deux cent mille Amérindiens. Pas un seul Blanc.

Aujourd'hui, il y a trente millions d'habitants et une centaine de groupes ethniques... de toutes les couleurs. Comment ces changements se sont-ils produits? Par des immigrations, des naissances, des décès, des départs de gens qui changent de province, de ville, etc. Les démographes mesurent tout ça et essaient d'expliquer comment cela modifie la population.